John Lawrence

in Beag Buí

© **An Gúm**
Baile Átha Cliath

An sicín beag buí, an sicín beag breá chuaigh sé ag spraoi leis na muca, lá.

Agus cad a chuala siad é a rá?

An sicín beag buí, an sicín beag breá, chuaigh sé ag snámh leis na lachain, lá.

Agus cad a chuala siad é a rá?

Vác

Vác

Vác

Vác

An sicín beag buí, an sicín beag breá, chuaigh sé ag caint leis na ba, lá.

Agus cad a chuala siad é a rá?

An sicín beag buí, an sicín beag breá, chuaigh sé ag léim leis na froganna, lá.

Agus cad a chuala siad é a rá?

An sicín beag buí, an sicín beag breá, chuaigh sé ag damhsa leis na huain, lá.

Agus cad a chuala siad é a rá?

Beà

Beà

Beà

Beà

Beà

Beà

An sicín beag buí,
an sicín beag breá,
abhaile leis ar deireadh
go dtí a mhamaí lách.

Agus cad a chuala sí é a rá?